Enid Blyton

SAITH SELOG

ANTUR AR Y FFORDD
ADREF

Enid Blyton

SAITH SELOG

ANTUR AR Y FFORDD ADREF

Addasiad Cymraeg gan
Manon Steffan Ros

Arlunwaith gan *Tony Ross*

atebol

SAITH SELOG

PEDR   SIONED   JAC   COLIN

GWION   MALI   BETHAN

Wyt ti wedi darllen y gyfres i gyd?

Cyfres Ddarllen Lliw'r Pump Prysur

SGAMP

Y fersiwn Cymraeg
Y cyhoeddiad Cymraeg © Atebol Cyfyngedig,
Adeiladau'r Fagwyr,
Llanfihangel Genau'r Glyn,
Aberystwyth,
Ceredigion SY24 5AQ

Cyhoeddwyd gan Atebol Cyfyngedig yn 2016
Addaswyd i'r Gymraeg gan Manon Steffan Ros

Dyluniwyd gan Elgan Griffiths

Golygwyd gan Adran Olygyddol Cyngor Llyfrau Cymru

Cyhoeddwyd gyda chymorth ariannol gan Gyngor Llyfrau Cymru

www.atebol.com

PENNOD 1

'Wel, mae hi'n bryd ei throi
hi am adref,' meddai Pedr, gan
edrych ar ei oriawr. 'Mae gen i
domen o waith cartref.

Tyrd, Sioned. Diolch am bob
dim, Colin.'

'Roedd hi'n braf cael
pawb yma!' meddai Colin
wrth i Pedr a Sioned a
gweddill y Saith Selog godi i
adael. Roedd o wedi gwahodd
pawb i'w gartref i gael te ar
bnawn gaeafol, tywyll. Bu'r
criw yn chwarae cardiau a sawl
gêm gyffrous o tidliwincs, ac
roedd Sioned wedi curo pawb

wrth orffen y jig-so.

'Ew – tydi hi'n dywyll?' sylwodd Bethan wrth iddyn nhw sefyll ar garreg y drws. 'Wela i 'run seren! Oes gan rywun fflachlamp?'

Goleuodd y bechgyn y llwybr at giât yr ardd gyda'u fflachlampau. Ffarweliodd Colin â'i ffrindiau a chau'r drws. Rhedodd Sgamp, y sbaniel lliw euraid, o flaen y

lleill – roedd yntau wedi cael
dod am de, wrth gwrs.

Cerddodd y chwech i lawr y
lôn dywyll.

'Mi fedrwn ni fynd ar
y llwybr ar hyd y gamlas,'

meddai Pedr. 'Dydy o ddim yn bell o dŷ Gwion.'

'Dwi ddim yn hoffi cerdded y llwybr 'na,' cwynodd Mali. 'Mae o mor dywyll. Gallai unrhyw beth ddigwydd i ni!'

'Bobol bach!' meddai Jac. 'Dim ots gen i os oes rhywbeth yn digwydd! Mi fyddai'n hwyl. Byddwn i wrth fy modd efo tipyn o antur!

Mae'r holl gemau 'na wedi codi awydd am hwyl arna i!'

'Wel, dydy anturiaethau byth yn dod os wyt ti'n eu disgwyl nhw,' meddai Sioned, cyn baglu dros fin sbwriel roedd rhywun wedi'i adael ar y palmant.

CRASH!

PENNOD 2

Gwaeddodd Sioned, a throdd
yr hogiau eu fflachlampau i
gael golwg arni. Cododd Jac
gaead y bin, oedd wedi disgyn

ar lawr, a brysiodd Pedr i weld a oedd ei chwaer wedi brifo. Rhwbiodd Sioned ei phen-glin.

'Ddylwn i wybod yn well na sôn am anturiaethau!' llefodd. 'Aw! Fy mhen-glin i! Pam yn y byd byddai rhywun yn gadael bin mewn lle mor wirion?'

Wrth i bawb wrando ar Sioned yn cwyno, dechreuodd

Sgamp **chwyrnu**. Trodd Pedr
ei fflachlamp at y ci.

'Be sy, Sgamp? Wnest ti
ddychryn pan syrthiodd y bin
i'r llawr?'

Syllodd Sgamp ar draws y
lôn, yn llonydd fel delw gyda'i
gynffon yn isel. Edrychodd
y plant i'r un cyfeiriad hefyd.
Beth oedd wedi dwyn sylw
Sgamp?

Safai rhes o adeiladau

tal, swyddfeydd a ffatrïoedd
bychain, yn dywyll a llonydd.
Dim ond un ffenest oedd â
golau ynddi, a golau gwan
iawn oedd hwnnw gan fod hen
len ddarniog yn hongian dros
y ffenest.

Wrth i'r chwech syllu,
daeth sgrech uchel o rywle,
gan godi ofn ar bawb.
Chwyrnodd Sgamp eto,
a chododd y blew ar gefn ei

wddf – arwydd pendant fod rhywbeth yn ei boeni.

'Mae rhywbeth o'i le,' meddai Pedr yn anesmwyth. 'Be wnawn ni? Gwrandewch – mae rhywun yn gweiddi!'

Clustfeiniodd pawb, pob llygad wedi'i hoelio ar y ffenest â'r llen drosti.

Yn sydyn, daeth cysgod dros y llen, a daliodd Sioned yn dynn ym mraich Mali.

'Sbïwch! Cysgod dyn
oedd hwnna, ac roedd o wedi
codi ei law, fel petai ar fin
taro rhywun! O, a dyna sgrech
arall! Pedr, be wnawn ni?'

'Mi a' i i ddweud wrth
Colin,' meddai Jac, 'ac mi ddo'

i â rhaff yn ôl efo fi. Bydd raid i rywun ddringo at y ffenest acw i weld be sy'n digwydd. Rhowch ddau funud i mi!'

PENNOD 3

Brysiodd Jac yn llawn cyffro i
dŷ Colin. Mwythodd Pedr ben
Sgamp, oedd yn dal i chwyrnu.
'Dewch i ni gael trio'r drws,'

meddai. 'Pwy a ŵyr, efallai ei fod o ar agor. Byddai'n llawer haws mynd i fyny'r grisiau na gorfod potsian efo rhaff!'

Croesodd pawb y lôn yn betrus, gan ddiffodd eu fflachlampau. Roedd set o risiau yn arwain at y drws.

I fyny â Pedr, a throi bwlyn y drws. Ond wnaeth o ddim agor. Roedd y drws ar

glo, fel roedd o wedi disgwyl.
Edrychodd i mewn drwy'r
blwch llythyrau, gan fflachio'i
lamp drwy'r twll. Ond y cyfan
a welai oedd ystafell dywyll,
lychlyd, a bocsys wedi'u
pentyrru'n uchel ar un ochr
iddi. Roedd hi'n amlwg mai
adeilad yn llawn swyddfeydd
oedd hwn, neu ystordy mawr.

'Does dim byd i'w weld,'
meddai Pedr gan ddiffodd y

lamp. 'Bobol annwyl, mae 'na rywbeth rhyfedd am hyn i gyd. Roedd y **sgrech** 'na yn annaearol!'

Teimlai'r pump yn anghysurus iawn, ac roedd ofn ar Bethan. Swniai'r **sgrechfeydd** o'r swyddfa mor **ddychrynllyd** a'r **wylo** mor ddigalon – ac erbyn hyn roedd sŵn **taro** hefyd.

Beth oedd yn digwydd yn yr adeilad? 'Dyna ni – dwi'n mynd at yr heddlu,' meddai Pedr yn benderfynol.

PENNOD 4

'Genod, dewch efo fi. Gwion, arhosa di yma efo Sgamp.'

Ond doedd Sgamp ddim eisiau aros gyda Gwion.

Roedd o eisiau bod gyda Pedr a Sioned, wrth gwrs. Felly, yn y diwedd, brysiodd Pedr at yr heddlu ar ei ben ei hun, gan adael Gwion a'r tair merch gyda Sgamp.

Ar y stryd nesaf, bu bron i Pedr daro i mewn i Colin a Jac.

Roedd Colin yn llawn cyffro, a lein ddillad ei fam yn ei ddwylo – dyna'r unig

raff y medrai ddod o hyd iddi. Syllodd ar Pedr dan olau gwan y stryd.

'Be sy'n bod, Pedr? Be sydd wedi digwydd? Pam wyt ti'n rhedeg?' gofynnodd Jac.

'Dwi'n mynd at yr heddlu,' atebodd Pedr. 'Mae 'na rywbeth difrifol yn digwydd yn yr adeilad yna, ac mae rhywun yn cael ei frifo!'

Brysiodd ymaith, a

rhedodd Colin a Jac i ymuno â Gwion a'r merched.

'Dwi 'nôl,' meddai Colin a'i wynt yn ei ddwrn, 'a dwi wedi dod â'r rhaff. Siawns y medrwn ni weld be sy'n digwydd rŵan!'

Trodd ei fflachlamp i gael gweld yr adeilad, a phwyntiodd Jac at arwydd oedd yn hongian ar bolyn o dan y ffenest.

'Tafla'r rhaff dros y polyn
sy'n dal yr arwydd,' meddai
wrth Colin. 'Dyma ti – clyma
garreg wrth un pen, a thafla hi.
Gawn ni ddringo i fyny wedyn.'

Ar ôl clymu'r garreg
wrth un pen i'r rhaff, taflodd
Colin y rhaff dros yr arwydd a
syrthiodd y pen oedd â'r garreg
arno i lawr at y criw.

PENNOD 5

'Grêt – rŵan mae gynnon ni
raff ddwbl i'w dringo,' meddai
Colin yn fodlon.

Clymodd ddau ben y

rhaff at ei gilydd er mwyn i
Jac gael dringo'n ddiogel.

'Dyna ti,' meddai.
'Bydd o fel dringo rhaff yn
y gampfa! Mi ddalia i'r rhaff
yn dynn.'

'Brysiwch, neno'r
tad!' meddai Mali wrth i
waedd arall ddod o'r ffenest
uwchben. 'Fedra i ddim
dioddef y sŵn 'ma!'

Llamodd Jac i fyny'r

rhaff. Cyrhaeddodd yr
arwydd oedd o dan y ffenest,
a dringo arno'n ofalus.
Eisteddodd ar yr arwydd,
cyn codi ar ei draed yn
araf er mwyn gallu sbecian
drwy'r ffenest. Eisteddodd
ar y sil a syllu drwy'r rhwyg
yn y llen. Gwnaeth yr hyn
a welodd iddo lithro i lawr
y rhaff mor sydyn nes iddo
bron â brifo ei ddwylo.

'Be oedd yna? Be welaist ti?' gofynnodd y lleill yn frwd.

'**Bobol bach**,' meddai Jac, gan rwbio'i ddwylo at ei gilydd. 'Diolch byth fod Pedr wedi mynd i nôl yr heddlu. Mae 'na ryw naw o bobol yn yr ystafell, a phawb yn wyllt gacwn. Mae hen wyneb blin gan bob un, ac maen nhw'n gweiddi ar ei

gilydd … mae ganddyn nhw gyllyll, ac mae dau ohonyn nhw'n gorwedd ar lawr, ac un ferch druan ar ei gliniau, a …'

'Iesgob annwyl!' gwaeddodd Colin, wedi dychryn, ac ebychodd y lleill mewn braw. Chwyrnodd Sgamp yn ddi-baid, ac yna **cyfarthodd** mor uchel nes i'r plant neidio. Daeth sŵn traed yn rhedeg, a daliodd pawb eu gwynt.

Pwy oedd yn dod ar ffasiwn frys?

PENNOD 6

A! Diolch byth, Pedr oedd
yno, a dau heddwas mawr efo
fo. Ochneidiodd pawb mewn
rhyddhad. Rhedodd Pedr at ei

ffrindiau.

'Oes 'na rywbeth arall wedi digwydd? Dwi angen clywed y cyfan!'

'Mi ddringais i'r arwydd acw ac edrych i mewn drwy'r rhwyg yn y llen,' eglurodd Jac. 'Mae 'na **ffrae** ofnadwy'n digwydd, ac wedyn ...'

Gwrandawodd y ddau heddwas yn astud wrth i Jac ddisgrifio'r hyn roedd o wedi'i weld. Doedd dim smic i'w glywed o gyfeiriad y ffenest bellach – dim gwaedd na sgrech na sŵn cwffio. Oedd y bobol yn y swyddfa wedi clywed yr heddlu'n cyrraedd?

'Awn ni i mewn i'r adeilad,' meddai un o'r heddlu. 'Dydi'r ffenest waelod yma heb ei chau yn iawn. Rho help llaw i mi, Jo.'

I mewn â'r ddau heddwas

– ac, wrth gwrs, dilynodd y
Saith Selog ar unwaith. Roedd
y criw'n benderfynol o fod
yn rhan o'r hwyl, a theimlai'r
ffrindiau'n fwy diogel gan fod
dau heddwas mawr cryf efo
nhw. Cafodd Sgamp ei adael i
swnian yn ddigalon tu allan.

Brysiodd pawb drwy'r
swyddfa ar lawr gwaelod yr
adeilad, cyn dringo'r grisiau.
Symudodd y ddau heddwas

yn gyflym ond yn dawel.
Dilynodd y Saith rai camau y
tu ôl iddyn nhw – rhag ofn i'r
heddlu eu gweld a'u hanfon
nhw o'r adeilad – ac arhosodd
pawb mor dawel â llygod
eglwys, a'u calonnau'n curo'n
gyflym.

Bobol bach, am antur!

PENNOD 7

Pwyllodd y ddau heddwas
wrth agosáu at ddrws oedd â
mymryn o olau yn disgleirio
oddi tano. Safodd y ddau i

glustfeinio. Closiodd y Saith yn betrus, a sefyll ar y landin, gan obeithio na fyddai'r heddlu yn eu gweld.

Daeth llais cras o'r ystafell. 'Ar dy draed, y munud 'ma! Dyna ddigon o orffwys. Lle mae 'nghyllell i? **Sgrechia**, Magi, ac Al, **bloeddia** di arni ...'

Yna dechreuodd y gweiddi a'r sgrechian eto, ynghyd â sŵn

taro mawr. Rhaid bod cwffas ffyrnig wedi ailddechrau! Crynai'r plant gan ofn.

Gwthiodd un o'r heddlu'r drws, a llifodd golau llachar allan i'r landin. 'Beth ydi hyn? Be sy'n digwydd yma?' gofynnodd yr heddwas cyntaf wrth gamu i'r ystafell. Trodd pawb ato a syllu'n syn.

'Wel, dyna i chi gwestiwn! Beth ydach

chi'n ei wneud yma, dyna hoffwn i ei wybod!' meddai llais blin. Gwelodd Pedr fod gan y dyn gyllell yn ei law. 'Rydan ni wedi cael caniatâd y perchennog i ddefnyddio'r stafell – gofynnwch iddo fo! Rydan ni i gyd yn gweithio yma.'

'Efallai wir. Ond be ydi'r holl ffraeo a chwffio yma – a plis rhowch y gyllell yna i lawr, syr,' meddai'r heddwas, gan estyn am lyfr nodiadau a phensil o'i boced.

Camodd merch ifanc ymlaen ato, a chanddi fochau cochion, colur du a gwyrdd o amgylch ei llygaid, a mop o wallt blêr fel wig ar ei phen. Chwarddodd y ferch.

'Oeddech chi'n meddwl mai ffrae go iawn oedd hyn?' gofynnodd. 'Ddim o'r fath

beth! Rydan ni'n ymarfer ar
gyfer drama am fôr-ladron,
ac mae 'na gwffio yn yr olygfa
hon. Rydw i'n cael fy nghipio
ac mae'r môr-ladron yn

ymladd yn erbyn y rhai sy'n dod i fy achub i. Rhaid i mi sgrechian! Mae'r perfformiad cynta nos fory – dyna pam ein bod ni'n gwisgo'r colur yma.'

Cafodd y ddau heddwas dipyn o sioc, ac i ffwrdd â nhw gan ymddiheuro.

Brysiodd y Saith Selog i lawr y grisiau mewn embaras. Bobol annwyl, dim ond ymarfer drama roedd y bobol wedi'r cyfan. Roedd y Saith yn siŵr o gael ffrae am fynd at yr heddlu heb reswm!

PENNOD 8

Ond chafodd neb ffrae. Roedd
y ddau heddwas yn glên iawn
am bopeth. 'Mi wnaethoch chi'r
peth iawn,' meddai un heddwas.

'Gallai'r cyfan fod wedi bod yn ddifrifol, ond wyddech chi ddim am hynny. Rŵan, gwell i chi fynd adref cyn i chi ddod o hyd i fwy o anturiaethau – mi fydd eich rhieni'n poeni amdanoch!'

Esboniodd Pedr wrth ei rieni pam ei fod o, Sioned a Sgamp yn hwyr. Roedden nhw'n falch iawn i'w cael nhw adref yn saff! Chwarddodd tad Pedr pan glywodd yr hanes.

'Wel, rydach chi wastad a'ch trwynau mewn antur! Beth am i mi gael tocynnau i weld y ddrama fôr-ladron nos fory i bob un o'r Saith Selog?'

'Ew, ia!' atebodd Pedr yn llawen. 'Am ddiweddglo gwych i antur oedd ddim yn antur o gwbl. Ond, bobol annwyl, roedd hi'n teimlo fel antur, doedd, Sioned?'

'Oedd wir,' cytunodd

Sioned. 'Ond rŵan fod popeth yn iawn, gobeithio nad ydi gweddill y Saith Selog mewn trwbl efo'u rhieni.'

A doedd neb – heblaw Colin, oedd wedi gadael lein ddillad ei fam yn hongian dros yr arwydd! Mae ei fam yn dweud na chaiff o fynd i weld y sioe fôr-ladron nes ei bod hi'n cael ei lein yn ôl! Paid â phoeni, Colin – mae'r lein yn dal yno!